Benedetto Marcello

Sonata

in re minore

(Op. 2 No. 2)

per flauto e chitarra

Herausgegeben von – Edited by – Közreadja

BENKŐ Dániel

FLAUTO

EDITIO MUSICA BUDAPEST

H-1370 Budapest, P.O.B. 322 • Tel.: (361) 236-1100 • Telefax: (361) 236-1101
E-mail: emb@emb.hu • Internet: http://www.emb.hu

FLAUTO

SONATA

(Op. 2. No. 2)

Benedetto Marcello
(1686—1739)
Herausgegeben von Dániel Benkő

Flötenstimme eingerichtet von György Pászti

Adagio

Allegro

© 1981 by Editio Musica, Budapest
Printed in Hungary

Z. 14 443

Largo

Flauto

Allegro

Benedetto Marcello

Sonata

in re minore

(Op. 2 No. 2)

per flauto e chitarra

Herausgegeben von – Edited by – Közreadja

BENKŐ Dániel

EDITIO MUSICA BUDAPEST

H-1370 Budapest, P.O.B. 322 • Tel.: (361) 236-1100 • Telefax: (361) 236-1101
E-mail: emb@emb.hu • Internet: http://www.emb.hu

Felelős kiadó az EMB Zeneműkiadó Kft. igazgatója
Z. 14 443 (2,1 A/5 ív) 2005/ 05023 Képmás Kft., Budapest., Felelős vezető: Nikolits Istvánné
Műszaki szerkesztő: Tihanyi Éva
A sorozatfedelet Székely Edith tervezte

SONATA

(Op. 2. No. 2)

Benedetto Marcello
(1686—1739)
Herausgegeben von Dániel Benkő

Z. 14 443

Allegro

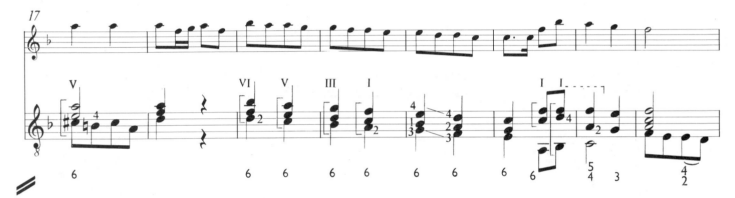

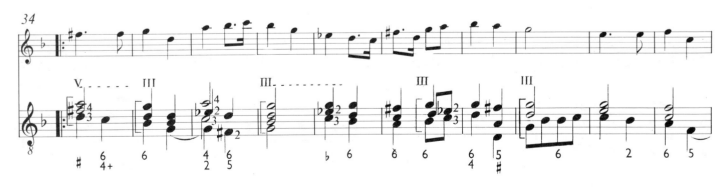

6

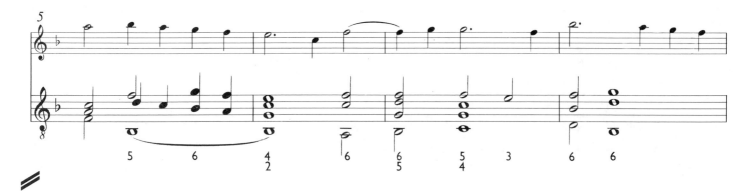

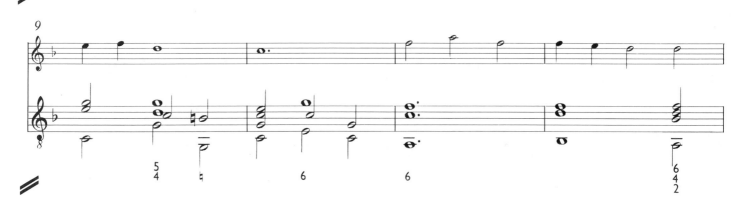

Allegro